Mi cuerpo

Fiona Undrill

Heinemann
LIBRARY

body

www.heinemann.co.uk/library
Visit our website to find out more information about Heinemann Library books.

To order:
☎ Phone 44 (0) 1865 888066
🖹 Send a fax to 44 (0) 1865 314091
💻 Visit the Heinemann Bookshop at www.heinemann.co.uk/library to browse our catalogue and order online.

First published in Great Britain by Heinemann Library, Halley Court, Jordan Hill, Oxford, OX2 8EJ, part of Pearson Education. Heinemann is a registered trademark of Pearson Education Ltd.

© Pearson Education Ltd 2008
First published in paperback in 2008
The moral right of the proprietor has been asserted.

Editorial: Charlotte Guillain
Design: Joanna Hinton-Malivoire
Picture research: Ruth Blair
Production: Duncan Gilbert

Translation into Spanish produced by DoubleO Publishing Services
Printed and bound in China by Leo Paper Group.

ISBN 9780431990354 (hardback)
12 11 10 09 08
10 9 8 7 6 5 4 3 2 1

ISBN 9780431990453 (paperback)
12 11 10 09 08
10 9 8 7 6 5 4 3 2 1

British Library Cataloguing in Publication Data
Undrill, Fiona
Mi cuerpo = My body. - (Spanish readers)
1. Spanish language - Readers - Body, Human
2. Body, Human - Juvenile literature
3. Vocabulary - Juvenile literature
I. Title
468.6'421
A full catalogue record for this book is available from the British Library.

Acknowledgements
The publishers would like to thank the following for permission to reproduce photographs:
© Alamy pp. **3**, **4** (PHOTOTAKE Inc), **12** (Medical-on-Line), **19** (Stephen Roberts), **23** (allOver photography); © Corbis p. **6** (C. Lyttle/zefa); © Istock p. **16** (Nicholas Belton); © Photos.com p. **11**; © Science Photo Library pp. **8**, **20** (Dr P. Marazzi), **15** (Biophoto Associates)

Cover photograph of jumping boys reproduced with permission of Corbis (Ben Welsh/zefa).

Every effort has been made to contact copyright holders of any material reproduced in this book. Any omissions will be rectified in subsequent printings if notice is given to the publishers.

Contenido

Try to read the question and choose an answer on your own.

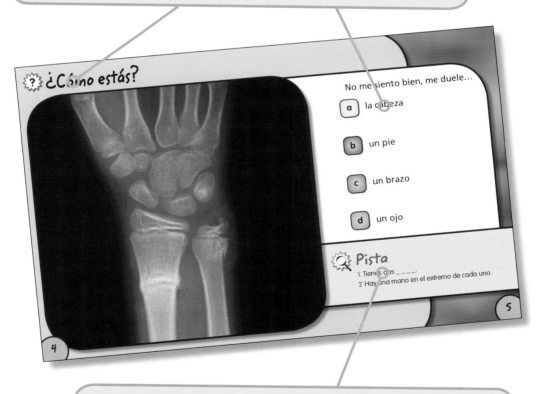

You might want some help with text like this.

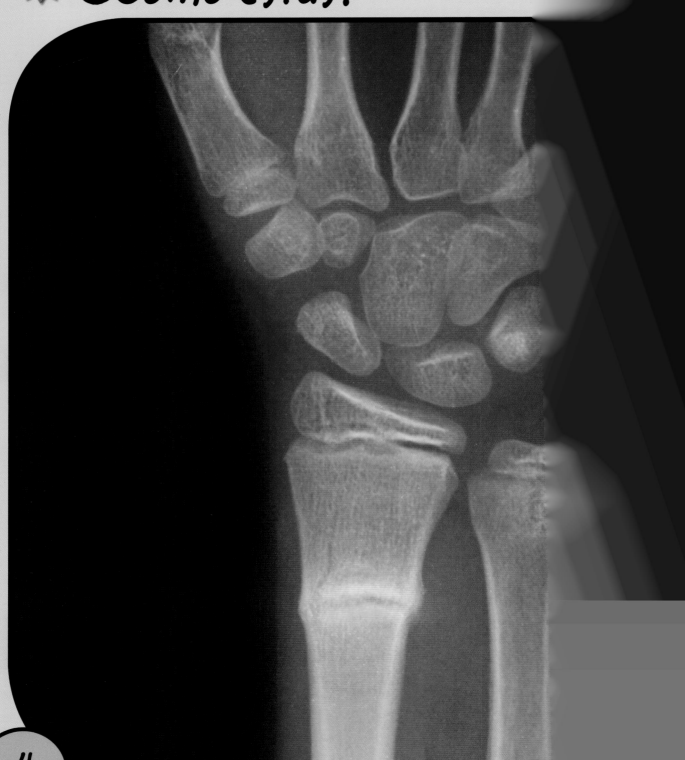

No me siento bien, me duele...

a la cabeza

b un pie

c un brazo

d un ojo

 Pistas

1. Tienes dos _ _ _ _ _ _.
2. Hay una mano en el extremo de cada uno.

✦ Respuesta

c   un brazo

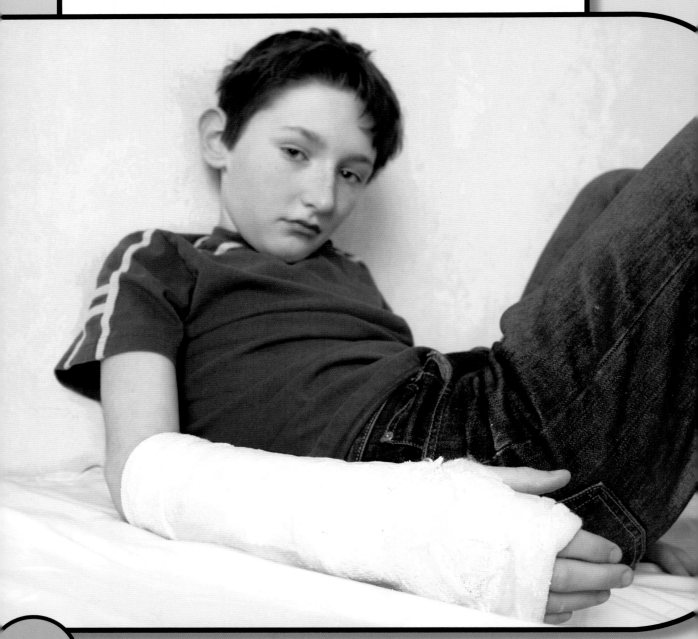

El brazo tiene tres huesos.

Huesos fracturados

Las causas más comunes de fractura de brazo son:

- un accidente de automóvil;

- una caída;

- una lesión mientras haces deporte.

IMPORTANTE

¡No muevas el hueso fracturado!

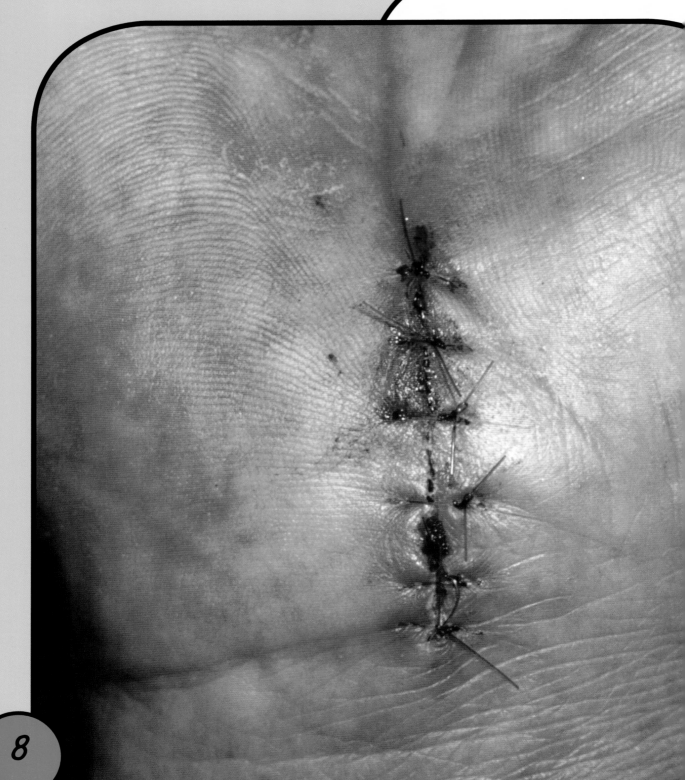

No me siento bien, me duele…

a la cabeza

b un pie

c una mano

d un oído

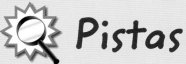 **Pistas**

1. Tienes dos _ _ _ _s.
2. Están en el extremo de cada brazo.

✔ Respuesta

c una mano

Zurdos

- Entre el 8 y el 15% de la población es zurda.
- Zurdos famosos:
  - príncipe Carlos
  - Bart Simpson(!)
  - Rafael Nadal
  - Julia Roberts
  - Kelly Osborne
  - Angelina Jolie
  - Keanu Reeves

La mano tiene 27 huesos.

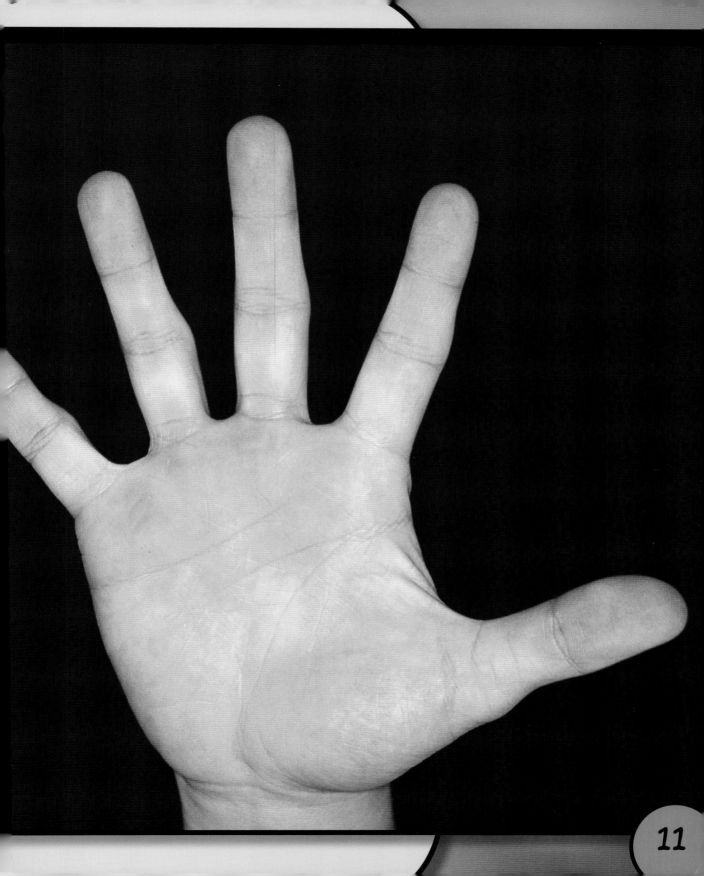

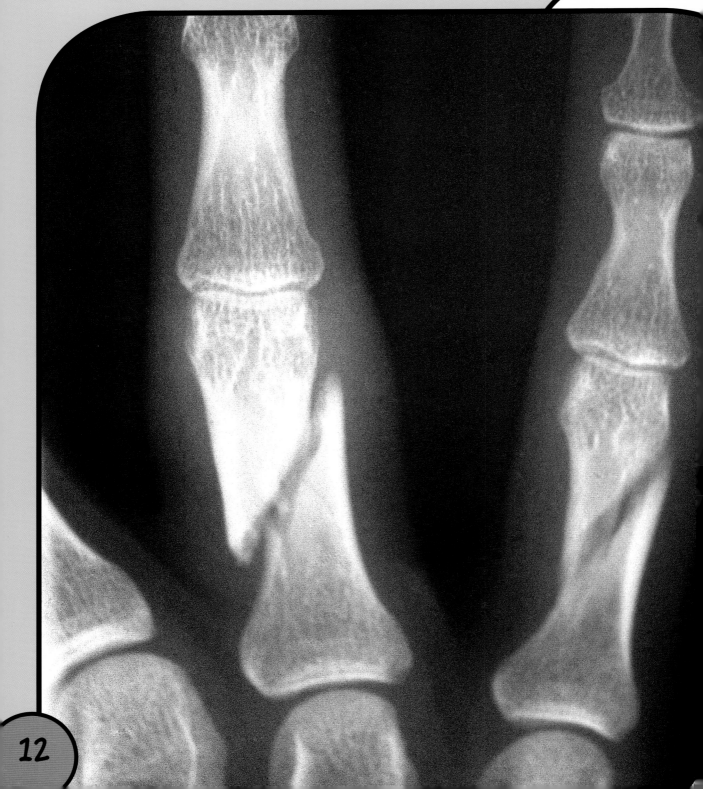

No me siento bien, me duele…

a un dedo

b la boca

c los pies

d una pierna

 Pistas

1. Tienes diez _ _ _ _ _.
2. Están adheridos a la mano.

Respuesta

a un dedo

Cada dedo tiene tres huesos, pero el pulgar tiene dos huesos.

 En Gran Bretaña = muy bien

 ¡Pero en Grecia no es cortés!

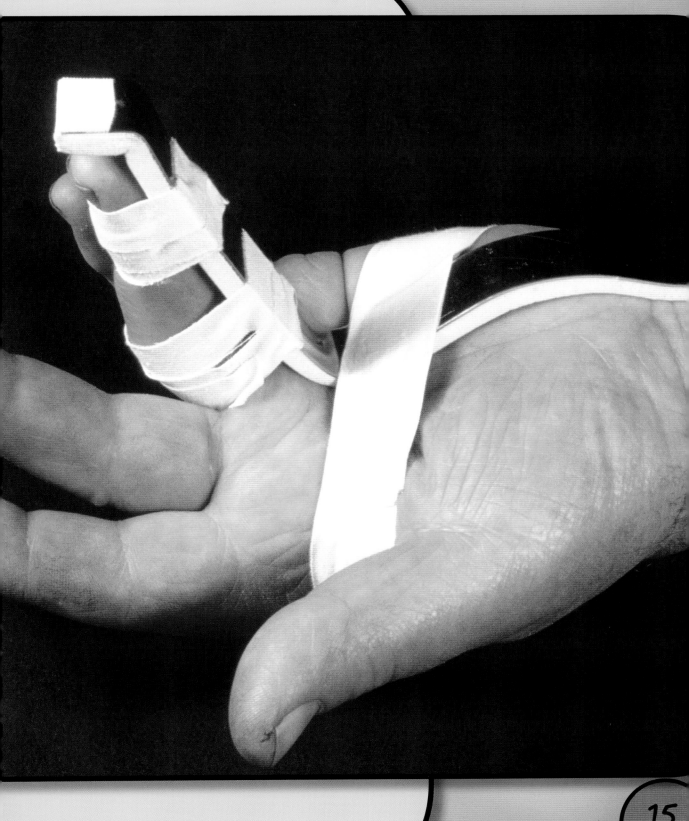

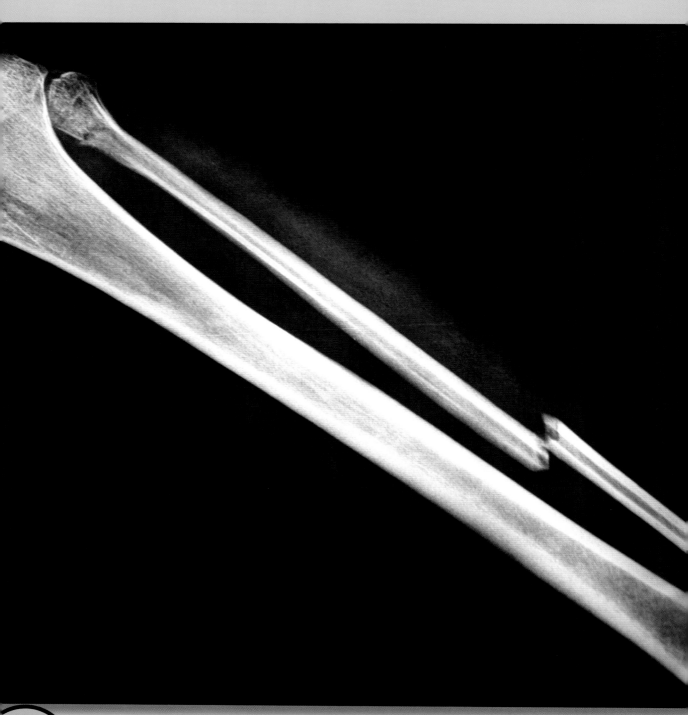

No me siento bien, me duele…

a un dedo

b la nariz

c una mano

d una pierna

 # Pistas

1. Tienes dos _ _ _ _ _ _ s.
2. Hay un pie en el extremo de cada una.

✓ Respuesta

d una pierna

La pierna tiene tres huesos.

¡Increíble pero cierto!

Es posible que el rey Tutankamón haya muerto debido a una infección en una pierna lastimada.

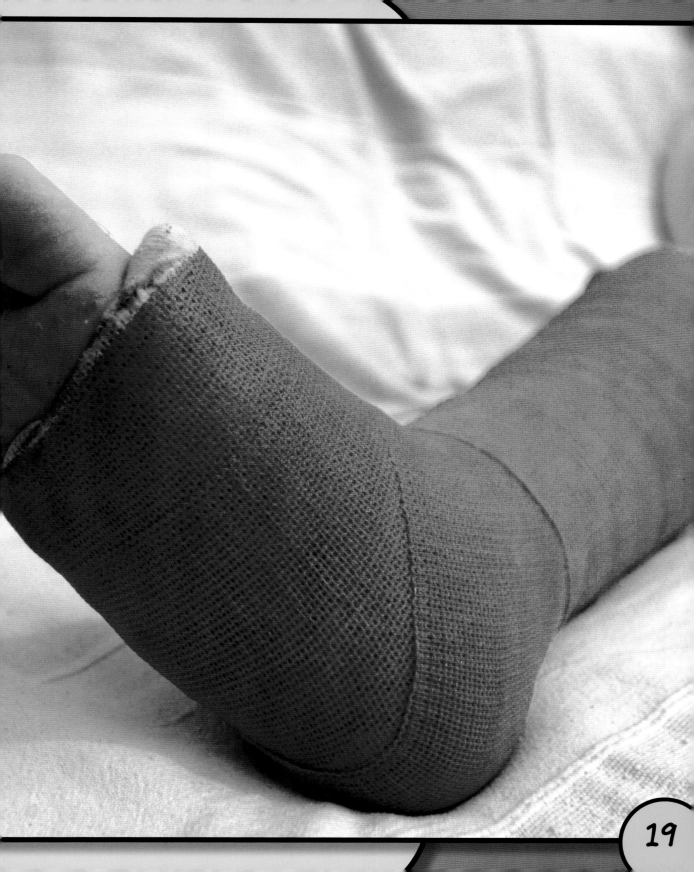

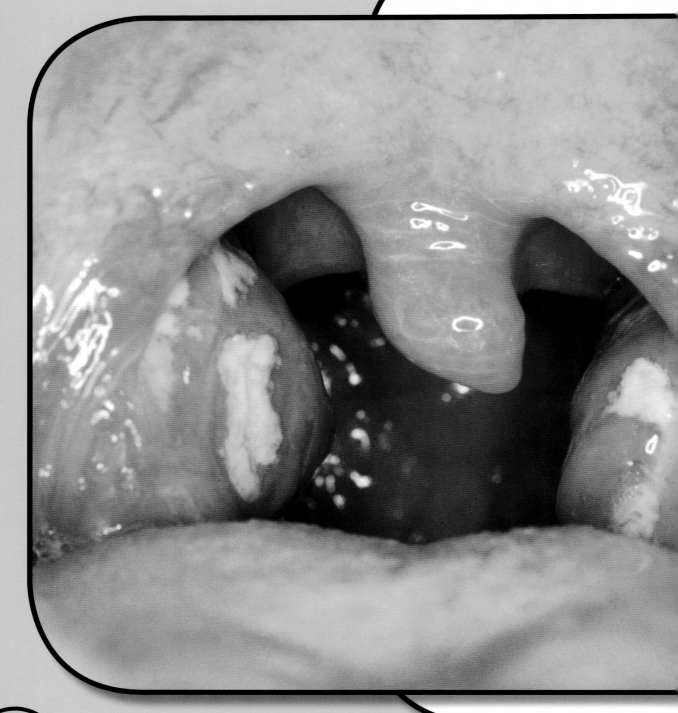

No me siento bien, me duele…

a un oído

b la garganta

c un ojo

d una pierna

 Pistas

1. Tienes una _ _ _ _ _ _ _ _.
2. Abre la boca y di "aaaa".

Respuesta

b la garganta

Dolor de garganta

Si te duele la garganta, es probable
que también tengas…

- dolor de cabeza;
- fiebre;
- la garganta roja;
- y, a veces, no puedas hablar.

Vocabulario